KB178145

겨울과 사랑의 한 끗 차이

"너의 겨울이 나를 닮았으면 좋겠어."

박현지 지음

겨울과 사랑의 한 끗 차이

"너의 겨울이 나를 닮았으면 좋겠어."

박현지 지음

BOOKK

차례

- 들어가기에 앞서

당신의 겨울에도 따뜻한 순간이 찾아오길 바라는 마음으로
한편의 그리움과 미래에는 추억으로 남을 이 순간을 간직하며

- 작가의 말

당신의 아리던 겨울도 간직할 수 있기를 빌며 저의 가장
힘들었던 겨울을 그렸습니다.

한겨울의 눈보라 같던 감정들도 따뜻했던 그때의 사랑도

견디기 힘들었던 겨울바람도

힘든 순간도 지나가는 날이 오듯이 독자님들의 서린 겨울도

지나고 꽃 피는 봄이 올 수 있기를,

추억으로 간직할 수 있길

바라는 마음으로 독자님들에게 이 책을 바칩니다.

제1부작

겨울 - 우리가 겨울을 보내는 방법

- 겨울

나의 겨울엔 당신만이 있었는데

당신의 겨울은 어땠을까요? 따뜻했나요?

혹은 뼈 서릴 만큼 아팠나요,

나의 겨울엔 당신이 있어 참으로 따뜻했습니다.

당신 덕분에 추운 겨울을 따듯 보낼 수 있었습니다.

날이 지나 여름이 되어 나는 얼어붙을 거 같은 추위에

두려움에 떨 수밖에 없어졌습니다.

뼈가 아릴 만큼 아프고 슬픈 추위를 혼자 견디고 있습니다.

지금 당신은 따뜻한 여름을 맞이하였습니까?

혹은 아직도 아프고 시리나요?

무엇이 됐던 행복하게만 자라주세요,

당신의 행복이 내 추위를 덮칠 수 있게

그렇게 해주세요

나의 겨울을 따뜻하게 해 주셔서

고마웠습니다.

- 그러리라 믿었던 모든 것들에게

한낱 나부랭이였던 나의 겨울에도

종종 발걸음을 멈추고 찾아오던 사람들이

몇몇 있었다.

초라하게 그지없고 그 어느 계절보다도
슬픈 나의 겨울이었기 때문에
항상 외롭지마는 굳이 티는 안 내고
그리 혼자 버텨 왔었는데

하나둘 나의 겨울을 찾는 손님들이 생겨나기
시작하더니
놀라울 만큼 내 옆에 있어 주는 사람이 많아졌었다.
한 명 한 명을 보는 게
한 명 한 명을 알아가는 게
그게 그렇게 행복하였었던 나는
그 누구보다도 나를 찾는 손님들을 기쁘게 맞이해 주고
모든 최선을 다해서 더 열심히 노력하였었는데
역시 내가 욕심이 과했던 것일까
아니면 선불리 모두를 믿고 싶었던 내 탓일까

항상 조심하고 살펴보던 내가
언제 사랑이 이리 고팠는지
모든 것을 믿고 나의 모든 것을 보여 주고 말았다.

사람들은 어떻게 생각 하였을까
내가 이리 밑바닥이고 결국 전부 부질없어 한다는 것을
나는 그리 대단한 사람이 아니라는 것을
그걸 보았을 때의 사람들은 날
어떻게 생각하였을까

사랑이라, 진실이라 믿었던 것들은
언젠간 이리 날 배신하고
사람들은 웃으며 나를 대하여 주지만
결국엔 모두 똑같이 한 마음으로 물어뜯기 바쁘다.
사람은 대체 무엇이길래

아니, 적어도 나를 보았던 너네는 대체 무슨 생각이었길래
결국 또 모두를 믿지 못하고
나를 가두고, 숨기고

또 결국 그리 외로운 삶을 살아야 할 것 같다.
함께의 행복을 맛보고

솔직히 무서워졌다.

혼자가 되기 싫고 누군가에게 쓸모가 없는 사람이,

다시는 그런 사람이 되고 싶지는 않다

행복이라 믿었던 것들은

사실은 행복을 몰랐을 때 보다 더욱더

잔인하고,

역겹고,

치에 떨어야 했으며

그에 대한 대가도 참으로 참혹하게 그지없다.

행복을 바란다는 것은 나의 욕심이었던 것일까

그렇다면 나는 처음에 나왔던

그 한낱 나부랭이 같던 그 겨울로 다시 돌아가

그냥 모든 것을 숨기고

나라는 존재까지 완전히 지운 채

그렇게 사는 것을 선택할 것이다.

- 크리스마스 전구

뼈 시릴 만큼 아린 바람이 불어오는 어느 날

크리스마스 전구들이 눈에 띄게 반짝이는 것을 보았다.

빛날 수 있는 존재라는 게 부럽다는 생각이 들었다.

“나도 참 웃기지… 크리스마스 전구 따위한테까지 부러움을

느끼는 신세라니”

나도 누군가에게는 저리 반짝이는 존재였을까

삶을 살며 누구에게 존경받은 적이 있긴 할까

라는 쓸데없는 진부한 생각을 하며

캐럴이 울려 퍼지는 거리를 무작정 걷기 시작했다.

그렇게 걷고 또 걷던 나는

문뜩 궁금해졌다.

언젠간 빛이 꺼지는 전구들은

그대로 가치를 잃게 되는 것인가

그렇다면 사람도 빛을 내지 못한다면,

누군가에게 반짝이는 존재가 되지 못한다면

그렇다면,

가치가 없어지는 것일까

수명을 다한 전구와 더 이상 빛날 수 없는 사람은

똑같은 존재가 되는 것일까

누군가에게 빛나는 존재여야 될 우리들은

빛을 향해 나아가는 것이 아닌

무가치 (無價値)를 향해 달려가는 것일까

우리들은 과연 무엇을 위해 이리 빛나는 것인가

무엇을 위해 앞을 향해 빗나가야 하는 것인가

라는 말과 함께 시린 바람이 부는 이 거리를 돌아보며

생각하였다.

"삶은 이처럼 진부하고 징그럽다"라며

서서히 사라지는 전구의 빛들과 멀어져 가는 캐럴을 들으며

나는 오늘도 꺼져가는 나를 보곤 아름답다고 생각하였다.

- 겨울 2

겨울이 빨리 와서 널 덮어줬으면 좋겠어요.

하루빨리 나를 덮쳐 외로움보다는

추위를 느끼게 해주었으면 좋겠어요.

외로운 밤보다는 살얼음이 낀

새벽 아침이 날 반겨줬으면,

뜨겁고 답답한 공기가 아닌

상쾌하다 시린 공기가 날 마중 나왔으면

그랬으면 좋겠어요.

- 결코 잊을 수 없는 것에 숨어

너의 하루는 지금 어떠니,

비록 입 밖으로 꺼낼 수 없는 말이지만

오늘도 하루 종일 생각해 보고는 한단다

폭설이 내리는 밤이야,

방 한 칸에 추위를 견딜 널 떠올려 봐

어찌 되었든 외롭지만 않았으면 좋겠다.

작년의 폭설을 기억하니,

꿈만 같던 겨울을 넌 아직 기억할까

그림자처럼 길게 늘어진 우리의 사랑을 넌 아직

그려보고 있니,

파도처럼 밀려왔던 우리의 감정은

아마 어렸던 너와 나의 서툰 사랑이

휩쓸고 갔겠지

우리가 웃던 그 시간들은

지금의 우리를 만들기 위함이었나 봐

각자의 자리에 서 있는 지금의 우리는

행복이라는 감정을 느끼기엔 너무 어린 것도 같아

유난히 추웠던 겨울의 우리에게는

무슨 밤이 있었길래

사랑이란 말을 했을까

세월이 조금 지난 지금도 난 행복이란 것이

무엇인지 모르겠어.

너는 알까

눈밭을 걸으며 맞잡은 손이,

그렇게 추웠던 겨울이었는데

그렇게 따뜻했었던 너의 손이,

지금은 어땠는지 잘 모르겠어.

결코 잊을 수 없다고 생각했던 기억은

역시 시간이 지나도 잊히지 않고

언제 그칠지 몰랐던 비에 젖은 내 마음도

결국은 여전히 늘어져 있어

여전히 나는 추억 속에 숨어 하루를 버티고 있고

시린 겨울을, 하얗던 눈밭을 제일 좋아해

비록 서툴렀던 사랑이었지만

그 사랑 덕에 도망가지 않는 법을 배울 수 있었어

아직은 추억에 기대 조금은 슬퍼하고 있지만

추억을 아파하지는 않을게

너도 나와 같은 마음이기를

- 아직도 나는 그 겨울을

희야, 잘 지내고 있니 넌

난 아직 한심하게 살아만 가고 있어

대체 내가 무엇을 위해야 하는지 모르겠다는

그런 생각이 머릿속에서 떠나가지를 않네

이럴 때마다 난 행복했던 겨울을 그리고는 해

눈이 참 많이도 오던 그해 겨울 말이야.

가끔 아무 생각 없이 창밖에 흩날리던 눈송이들을

보면서 널 생각하기도 했었는데

참 바보 같지?

결국 전부 녹아버리는 그런 진부한 것들 따위인데 말이야.

차라리 그 하얗던 눈처럼 전부 녹아버렸으면 좋을 텐데

희야, 난 아직도 그대로인 것 같아

한가지 달라진 점이 있다면

이제는 지나간 겨울이 아닌,

다시 오는 새로운 겨울을 맞이할 준비가 되었다는 거야

그동안 난 참 바보 같았고

어리석었어

이제는 지나가 버린 나의 시리던 겨울을 보내주고

따스할 이번 겨울을 맞이해 보려 해

어리석은 너에게 한 번 더 말해주고 싶어

희야, 이젠 떠나보낼게.

찬란했던 기억들이지만

전부 흘려보낼게.

지나간 날에 후회하지도 않을 거야

더 이상 아프지도 슬프지도 않을게

그러니 넌 내 겨울에 나타나지 말아줘

- 겨울의 기억엔

너의 겨울엔 나와의 기억들이 녹아 있었으면 좋겠어,

나와 보았던 그 시절의 첫눈이라든지

그때의 차가웠던 바람이라든지

그런 진부하고 상식적인 일상 같은 것 말이야.

같이 걸었던 눈 쌓인 바닥의 발자국이

우리가 봤던 첫눈의 눈송이처럼

거닐던 거리에 기억들이 피어 있으면 좋겠어.

추위도 눈 녹듯 사라질 것 같았던 우리의 사랑이

지금은 그러지 못할 사이가 되었지만

그때의 감정을 잊지 않고 기억 해줄 수는 있겠니

아주 많은 시간이 흘렀어도

그 겨울에 첫눈이 내린다면

나를 먼저 생각 해줄 수 있을까

이제는 너의 겨울에 내가 있지 못 하겠지만

가끔은 예전의 우리를 떠올리며

한 번쯤 떨어지는 눈꽃을 보고 웃어 주면

그거면 괜찮을 것 같아.

- 그리움

나에겐 아직 그리운 겨울이 남아있소

절대로 잊지 못하는 추억이 남아있소

그대가 곁에 있던 그 겨울이 나에겐 전부였다오.

여름이 되어 당신이 날 놔두고서

홀로 앞을 향해간다면

난 그 겨울에 멈춰

너의 뒷모습을 응원하겠소이다.

- 그 추억 속으로 돌아갈 수 있다면

봄은 잘 모르겠더라,

그냥 설레는 마음으로 가벼운 옷을 입고 나가

새로운 시작을 기대하는 마음으로

그렇게 바쁘게 지나갔던 것 같아

여름아, 잘 지내니?

뜨거운 공기에 어쩔 줄 몰라 하며

흘린 땀방울들이

차갑던 체육관의 그 에어컨 바람이

그 당시에는 그리 미웠었던 그 유니폼이

이제는 그리워

체육관 바닥에서 났었던 끼익거린 그 소음과

한점 두 점 올라가던 그 점수의 짜릿함이

전부 그리워지기 시작하더라,

그 당시에 두려워 그만뒀던 나를

후회하게 만들더라

그때의 그 희열을 다시 느낄 수 있을까

과연 내가 그때의 감정을 잊을 수 있을까

다시는 느끼지 못할 그 감정과 아려 오는 나의 마음이

참모든 걸 보고 싶게 만드는 것 같아

이젠 가을이 무서워지기 시작하더라

그 가을바람을 좋아하던 나였는데

몇 번의 이별을 반복하다 보니

가을이 오면 준비해야 할 겨울이 두려워지기 시작해

잡생각이 많이 난다.

내가 이번 겨울을 잘 버텨 낼 수 있을까

항상 무너지던 나였는데

결국 보고 싶었던 겨울이지만 여전히 너무 밉기만 해

나의 만남은 항상 겨울이었고

그 추억들에 나는 매시간을 후회하고 아파

정말 견딜 수 없을 만큼 아프고

또 힘들더라

특유의 그 향수 같던 냄새가

그 얼어붙던 공기가

눈물조차 안 나왔던 그때의 내가

매년 겨울에 있었으니 그게 그렇게 힘들었어.

다시 만들어 나갈 수 있을까 과연

내가 그 기억들을 잊고

더 행복하게 살아갈 수 있을까

추억은 정말 힘든 것 같아

"만약 그때로 돌아갈 수만 있다면"

이라는 바보 같은 생각에

아무리 놓아주려 해 보아도 놓을 수가 없어

후회와 절망, 그리고 사랑이 가득했던 겨울을

그 겨울을 내가 어떻게 놓을 수 있겠니

사랑하지 않을 수 없었던 나의 겨울아

요즘은 네가 밉기만 하단다

널 정말 사랑하던 나일 터인데

왜 너는 그리 아픔만 남겨주고 떠난 거니

후회하지 않을 순 없었던 걸까

오늘도 하염없이 눈물만 흘리는 중이야.

노력한다면 나의 아픔과 후회까지 사랑할 수 있을까

사랑해서 미안해

나의 겨울아.

- 겨울의 첫사랑은

동백꽃이 막 피어날 그때의 감정을 기억하십니까,

당신의 겨울엔 늘 내가 함께였지요.

이제는 함께 할 수 없는 우리의 겨울은

이리 지나가길 기다려야 하나요

당신의 겨울은 어떠한가요,

나를 잊은 채 잘 살고 있으신가요

우리가 함께 걸었던 길들과

나를 향한 그대의 웃음까지

모든 게 저에게는 첫사랑과 같았습니다.

슬펐던 나의 곁에 당신이라는 존재는

시리던 겨울에 한 송이 꽃과 같았습니다.

당신은 이 모든 순간들을 잊으셨는지

나의 모든 첫사랑을 정말로 잊으셨는지,

이제는 겨울이 와도 설레지가 않습니다

더 이상 설레는 감정 따윈 느끼지 못한 채

그리 살아가고만 있습니다.

나의 존재를 잠깐이나마 행복하게 해준 당신은

당신은 어떤 삶을 살아오셨길래

여름밤에 단잠과 같은 꿈을 내게 선물 해 주셨나요.

당신은 어떠한 삶을 살아오셨길래

매일을 웃을 수 있는 것인가요

당신이 내 곁에 계시던 모든 겨울의 날들이

내게는 끝나면 안 될 영화 같았습니다.

첫사랑의 끝은 씁쓸하다고 하더군요

나의 모든 첫사랑들은 당신이 아닌

당신과 함께한 겨울이었습니다.

다시 그때의 사랑을 느낄 수 있을까요

이제는 당신과 함께 할 수 없는 겨울일 텐데

조금이라도 기대하는 내가 멍청한 것일까요

하염없이 내리는 겨울의 눈꽃들을 보며

나는 당신과 같은 꽃 한 송이를 꺾어

나의 마음에 새겨보고는 합니다.

- 우리가 바라던 평범은

가끔 난 멍청하게 죽음을 바라곤 했다.

매일 아침 눈뜨면 시작되는 악몽이

나를 갉아먹기만 하던 그림자가

모두 허상일 뿐이라 생각하지만

무엇보다 나를 지옥에 떨어트렸으며

하루하루 눈 뜨는 게 무서워 영원히 잠들고만 싶었던

어린 내가 있었다.

그 어렸던 나는

전봇대 사이에 핀 꽃을 보거나

뭉게뭉게 떠다니는 구름들을 보고,

해를 비추는 해바라기 따위의

진부하고 사소하게 짝이 없는 것들을 보며

삶의 의지를 다졌다.

웃기지 않나,

그렇게 미워하던 평범한 일상들을 보고

삶의 의지를 다진다니

불행과 행복이 똑같은 일상 속에서 나온다는 게,

평범한 일상이라는 것은

사실은 그리 평범하지만은 않은 것 같다.

우린 하나같이 그 일상 속에 머물러 있지만

하나같이 지루함 속에서 새로움과 자극을 찾고 있지 않나

특별을 바라고

남들과의 다른 점을 찾고

타인과 나를 비교해 가며 오점과 장점을 찾는 우리의 삶에

평범함 이란 존재할 수 있는 것일까

사실은 악몽이나 그림자 같은 것이 아닌

그저 평범할 수 없는 지금의 나를 두려워하는 것이 아닌가

우리는 어둠에 질려 밝은 빛을 찾고 있는 것이 아닌

너무 밝은 빛에 중독되어

어둠이라는 안정을 찾는 것이 아닐까

모두가 원하던 기둥을 어둠이 대신해 주고 있는 것이

그런 것이 아닐까

- 이제는

폭설이 내리던 밤은

네가 생각나더라

차디찼던 공기와 앞도 안 보일 만큼 내렸던 눈,

우리의 행복은 여기서 시작되었나 봐

위태로웠지만 사랑할 수 있던 우리는

참 예뻤어.

겨울의 밤은 너무 길어

내일을 기대하던 우리는 울지 않아도 그 밤을 견뎠지,

일 년이 지난 지금 우리는

추억을 고이 덮고서는

씁쓸한 웃음만 지어

아직은 기억하는 건가

그립진 않은데 왜인지,

자꾸 마음이 시려.

부서진 유리 조각처럼 전부 산산조각 난 것 같아

겨울의 끝자락에 피던 우리의 꿈은

역시 잊을 수 없을 것 같아.

너의 겨울을 응원해

그동안 너무 차가웠던 우리이니

이제는 마음을 녹여도 되지 않을까

- 우리가 겨울을 보내는 방법

장롱에서 두꺼운 이불을 꺼낸다.

얇은 옷들은 전부 가지런히 개어놓고

두꺼운 옷을 꺼내 옷장을 채워 넣는다.

다시 겨울이다.

아픈 사랑에 내일을 잊었던 겨울,

길었던 밤에 남몰래 눈물 흘렸던 겨울

나의 겨울은 언제나 아팠기에

너의 겨울은 아프지 않았으면 했다.

포근한 밤을 보내며

내일의 행복을 꿈꿨으면 좋았겠다.

가끔은 전기장판을 틀어 놓고 낮잠을 자기도 하고

눈사람을 만들며 추위를 이겨내는 그런 겨울,

사실은 내가 제일 꿈 꾸던 겨울.

나의 겨울은 여전히 아플 거이니

너라도 행복하길,

내리는 눈을 보며

이렇게 빌어본다.

- 부재

너의 마지막 겨울은 어떨까

문득 궁금해졌다.

창밖을 보며

떨어지는 눈송이를 볼까

차가운 공기를 마시며

아침을 맞이 할까

너의 부재는 겨울잠이었을까

단잠에 빠진 너를 깨울 수 없어

기다리기만 해

우리의 마지막 약속을 기억하니 넌,

지킬 수도 없던 약속을 그리며

우리는 내일을 꿈꾼 걸까

사랑을 그리던 우리의 내일은

지키지 못 한 약속의 아픔과 미련만 담겨있어

지금의 부재는 너의 아픔이 곁든 것 일까

라는 그런 허망한 생각을 해

아픔까지 사랑할 수는 없지만

내일의 우리는 아마 괜찮을 것이니,

부재를 기다리는 것 즈음은

나에게 아무것도 아니니.

그렇게 너의 휴식을 미워하지는 않을게,

아픔은 언젠가 아물 것이니

언젠간 지켜질 우리의 약속을 생각하며

너의 부재를 견뎌 볼게.

- 예술

텅 빈 방 안

너의 하루는 오늘도 그림으로 시작한다.

예술이란 무엇일까

너의 하루를 색깔에 담아 표현할 수 있다는 것.

예술은 그런 것일까

오늘의 너는 무슨 색을 칠했을까

문득 궁금해진다

이제는 너의 하루를 물어볼 수 없는 내가 되었지만

가끔 씩 색을 물들일 너의 하루가

궁금해지기도 한다,

한 획을 그릴 때 너의 심정은 무엇이었을까

새로운 도화지를 꺼냈을 때 너의 기분은 어땠을까

하나의 빈 도화지를 채워가던 너의 마음은

흰 백(白)을 채워가던 너는,

슬픔을 넣었을까

행복을 넣었을까

너의 도화지에는 행복의 색깔들만 채워져 있으면 좋겠다.

슬픔이 채워질 시기에는

삶의 슬픔을 이해하고

깨달았으면 좋겠다.

그렇게 너의 도화지에는

너의 꿈이 가득했으면 좋겠다..

제2부작

사랑 - 대가도 없는 사랑을 하고

- 사랑을 갈구하며

너는 물에 떠 있는 거품 같아

금방이라도 물에 녹아 사라질 것 같아

그냥 내 앞에서 그렇게 사라질 것 같아

내가 제일 잘 알잖아.

그래, 내가 제일 잘 알잖아.

쳐다보기만 해도 아픈 너의 상처들을

하나둘 들쳐 엎으며

내가 할 수 있는 모든 걸 했었는데

너는 금방이라도 사라질 것 같아

할 수 있는 말이 제발이라는 비굴하기 짝이 없는

그 말밖에 없어

그렇게 누군지도, 있는지도 모르는 그 신에게 빌고 또 빌어

"제발… 제발…"

너를 해치던 모든 칼날과

너를 겨누던 총 둘에게서

너를 지켜내어 줄게

너만 행복할 수 있다면 너를 감싸며

내가 아파볼게.

그렇게 내가 아픈 만큼 네가 행복하길 오늘도 빌어

"나에겐 너 말고 중요한 건 없어"라며 오늘도 체념하고

나 자신을 갉아먹으며 너를 지키고 후회해

내가 느끼는 그 감정들은 순간의 착각일까,

너의 모든 모습들을 지키고 사랑할 수 있는 나는,

이렇게까지 모든 걸 버리고 오직 너를 위해

살 수 있는 나는,

한순간의 누구나 비웃을 수 있는 감정들에

나를 떠나보내는 것일까

이렇게 죽게 되어도 나는 여전히 사랑만을 갈구해

지금 욕조 위에 떠 있는 것은

과연 금방이라도 살아질 것 같은 거품일까

정말 금방이라도 죽을 것 같은 나의 육체일까

욕조에 담겨있는 건 맑은 물일까

치욕스럽고 역겨운 나의 감정만이 뒤덮인 핏물일까

피를 뒤집어쓴 나를 보고서도 울지 않는 넌

무슨 생각을 하고 있는 것일까…

- 가끔 너의 하루는

희야,

가끔은 의미 없는 사랑을 해도 된단다

그냥 그렇게 길 판에 예쁘게 피어난 꽃들이나

낙엽들을 봐 가면서

한 번쯤 하늘도 올려다보고

또 외로운 갈대밭도 보며

그렇게 의미 없게 살아가도 된단다.

그 누가 너에게 뭐라 이야기한들,

너의 존재 가치는 여전하니

떨어지는 눈물을 애써 참지 않아도 되며

여러 번 흠집이 난 너의 상처들을 숨기지 않아도 된단다.

항상 열심히 살아왔던 너에게

난 언제까지이건 너의 쉼터가 되어 줄 테이니

가끔은 나에게 와서 기대어 주라

너의 기쁨을 알게 되고

너의 행복을 찾게 되고

세상에서 가장 환하게 웃는 법을 배울 때까지

너의 옆에 남아있어 줄게

네가 살아가기 위해 발버둥 치던 노력들을,

그 흔적들을 전부 품어줄 테니

그러니

너는 그 누구보다 환하게 웃어 주기를…

- 발자국

나란히 놓인 발자국

결국 우리는 만날 수 없는 것일까.

이제는 울지 않는 널 보니

기쁘기도 하지만 왜인지 슬퍼

나의 사랑을 알게 되는 날이 온다면

너의 발자국은 날 향해 있길 바라.

우리가 걸어왔던 길 뒤에 내가 있다는 사실을

눈치챈다면

나를 끌어안고 고생했다고 말해주라.

그리곤 너의 마음 깊은 곳 짐 들을 내게 옮겨줘

사랑한다고 말할 수 있게,

- 동전 뒤집기

누군가 나의 삶에 어떤 영향을 줄지

나는 아직 모른다.

그러기에 아직은 조금의 기대를 가지고

하루를 버티어 보곤 하지요

어떤 일들이 생길까

걱정되면서도

가끔은 희망에 발걸음이 가벼워지기도 해요

모르는 게 약이라는 말도 있지만

나에게는 아는 게 힘이라는

말이 더 마음에 와닿는다,

힘든 일이 있으면

미리 울고 힘이 빠져있게

좋은 일이 있으면

마음 한편에 웃음이 자리할 수 있도록

공간을 쌓아두게,

이러한 일들이 모두 그대와 함께이길

조금은 바보 같지만, 이 글을 쓰며

바라보고는 한다.

이 글을 읽는 너에게

조금의 힘이라도 될 수 있도록

너의 삶을 응원한다,

라는 그런 뻔한 말

역시 모르는 일인가

알 수 없는 웃음만 나올 뿐

- 관계의 끝과 시작

모든 관계를 소중히 생각하던 난

잠깐의 만남이라도 가졌던 사람들은

정말 하나도 빠짐없이

놓을 수 없었다.

사람을 너무나 좋아하던 나였기에

누군가에게 도움이 될 수 있고

누군가에게 필요로 할 때 날 찾을 수 있다는 그 사실이

나를 그 무엇보다 행복하게 만들었다.

내가 할 수 있는 최선의 방법들로

모두를 행복하게 해주고 싶었다.

그로 인해 나를 돌보지 못한 것일까

분명 난 정말 모든 걸 열심히 했었는데

지금 나에게 닥친 현실은 그 무엇보다

볼품없었다,

관계의 정리를 할 수 없을 그즈음에

모든것을 포기 하고 싶다는 생각이 들었었는데

역시 그럴 수는 없었다.

항상 참고 위해주고 모든 걸 바친 나로서는

정말 내가 열심히 주변 관계를 사랑한 만큼

모두를 너무나도 사랑하고 있었기에

단 한 명의 관계도 놓지 않고 싶었던 나였기에

오늘도 멀어져가는 '나'와

나의 관계들을 보며 눈물만을 흘릴 수밖에 없었다.

너를 스쳐 갔었던 모든 사람들이 너무나도 그리운데

그런 그리운 사람들에게 걸맞은 사람이 되고 싶었는데…

어쩌다 보니 난 나조차도 챙길 수 없는

그런 허접한 사람이 되어 있었다.

왜일까,

끝 없이 헤매며 답을 찾고 찾아도 왜 인지

정답은 나오지 않았고

정말 사랑했던 모두를 잃을까 너무나도 겁났다.

늦었지만 지금이라도 나 자신을 아낀다면

그렇다면 제자리로 돌아와

모두를 사랑할 수 있을까

사랑받고 사랑하며 그렇게 그리움에서도, 아픔속에서도

벗어나

그리 원했던 행복을 찾을 수 있을까

그렇다면 나는 나의 전부를 걸어서라도

행복에 길로 떠나고 싶다.

"다시, 처음부터 다시…"

"괜찮아 다시 해 보는 것도 나쁘지 않아"

"안녕하세요. 박현지입니다.

잘 부탁드려요… 정말 잘 부탁드려요…”

- 너의 삶을 응원하는 누군가의 편지

아가 너를 만난 모든 순간이 나에겐

더할 나위 없는 행복이었단다.

네가 나를 만나지 않았다면 너의 삶이

조금은 달라졌을까,

나의 욕심으로 인해 너의 세상이 무너진 것만 같아

모든 게 죄스럽고 미안하기만 해

날 용서해 줄 수 있겠니,

나의 삶은 온통 너였단다

내가 아니었다면 너의 남은 삶은 조금 더 웃을 수 있는

그런 행복한 삶이었을까,

못다 한 말들이 너무 많아 잠 못 이뤄

너는 나를 만나 행복하였니?

나로 인해 너의 삶이 조금이라도 행복했다면

이 몸은 그걸로 미련이 없을 것 같다,

무엇이 되었던

이제는 행복하게만 살아 주렴

나를 잊고 모든 삶을 잊고

나는 법을 갓 배운 아기 새처럼

너의 삶을 펼쳐 줄 수 있겠니

훨훨 날아가 너의 자유를 마음껏 누려 줄 수 있겠니

고난과 역경이 파도처럼 밀려와도

내가 널 지켜줄게.

너의 전부를 보듬어 줄게

내가 가야 할 곳이야 거기는

아가, 너는 행복만 해주렴.

내가 아플 테니

- 나의 계절

흰 눈이 30센티미터 정도 내리던

어느 날

난 너의 옆을 떠나지 않기로 결심하였다.

하얀 벚꽃이 떨어지던 봄에

난 너를

사랑하게 되었다.

뜨거운 햇볕이 쬐는 여름,

난 바다의 새하얀

모래들을 보며 몸을 담가 온 힘으로

너를 잊어보았다.

- 유통기한

 우리의 사랑은 유통기한이 다다른 것일까,

이제는 마주 보며 사랑한다고 말할 수 없는 너를 보고

생각에 빠진다.

얼마 전까지만 해도 서로의 손을 잡으며

미래를 꿈꾸던 우리는

그렇게 끝이 나버렸다.

서로의 내일도 모른 채

너의 사랑이 다시 꽃핀다면

그때는 유통기한 따위가 없는 사랑을 했으면 좋겠다.

영원이란 단어는 거짓이겠지만

그래도 영영 사랑할 수 있으면 좋겠다.

슬픔을 안고 가지 않길

유통기한에 쫓겨 서로를 의심하지 않길

조금 더 마주 보며 사랑한다고 말할 수 있길

비록 나의 사랑은 끝났지만

여전히 사랑할 수 있는 너는

부디 아프지 않고 사랑할 수 있길.

- 살아가는 모든 것들에게

아픔과 슬픔까지도 살아 숨 쉬는 이 삶에

너란 존재가 있어서 다행이라 생각해

살아가는 모든 것 이란 무엇일까

하루가 다르게 떨어져 가는 나뭇잎,

피어나는 새싹

자라나는 모든 것

이 모든 걸 사랑할 수 있는 나라서 다행이야.

아직 나의 삶에 사랑할 수 있는 것들이

남아있어서 다행이야.

나의 하루를 나뭇잎이나 새싹들에게 기댈 수 있어

참으로 다행이야.

너의 삶은

언젠간 닥쳐올 이별에 아파하지 않았으면 좋겠어.

가끔은 물에 잠겨 생각해 보고

또 차디찬 바람을 맞으며 아파하고는 하지만

얼어붙지 않았으면 좋겠어.

너의 두 눈을 바라봐

아직은 너무나 많은 것을 담을 수 있는

그런 눈 이잖아.

- 빛

그대는 떠났는데 왜 난 아직도 여기인 건가요.

그대는 이미 너무나도 밝은 빛이 되어 멀리서

빛나고 있는데 왜 난 아직 그대로일까요.

그대를 아직 너무나도 사랑합니다.

설령 그대가 너무 빛나 감히 내가 갈 수 없다 한들

그대 옆에 있을 거입니다

나는 아직 그대로입니다. 여전히 아무 빛도 나지

않는 그런 보잘것없는 인간입니다.

당신이 나의 옆에 있어 주었을 때,

그때 나를 작게나마 밝혀주어서 감사하기만 합니다.

이젠 내가 당신을 밝혀줄 차례인데….

당신은 이미 너무나도 빛나고 있군요.

- 누군가의 행복

너의 밤이 우울하지 않았으면 좋겠다.

몇 알인지도 모르는 알약들을

입에 털어 넣는 밤이 아니라

뒤척이지 않고 편히 잠들 수 있는 그런 밤,

지나간 연인들에 아파하는 하루가 아닌

마음 편히 거리를 걷고

맛있는 걸 먹으며

환하게 웃을 수 있는 그런 하루

할 수 있다면 너의 우울한 밤을

따뜻한 볕이 드는 아침으로 바꿔주고 싶어

그럴 수만 있다면

너의 손을 잡고 행복이라 말 하고 싶어

- 죽음을 바라는 이들에게

이따금 사람을 만나다 보면

죽음을 바라는 사람들이 생각보다 많다는 것을

깨달았던 때가 있었다.

삶이 생각보다 고돼서였을까

아니면 사랑받는 법을 몰라서였을까

각설탕처럼 완벽하길 바라던 모두의 삶은

생각보다 훨씬 더 연약하고

부스러지기 쉽기만 했다.

아마도 우리는 많이 여리고

또 많이 아팠던 것 아닐까

밤이 되면 생각이 많아지는 하루를 버티기엔

우린 아직 너무 어리지 않나

소리 없이 흘렸던 눈물이 그대에겐

너무나 힘든 시간이었을 것이고

살아있는 것조차가

톡 치면 쓰러지는

길가의 죽어가는 나무처럼

외롭지 않았을까

전부 다 알 수 있다.

그대가 열심히 발버둥 치며

물에 잠기지 않기 위해 했던 노력들을,

살아온 삶이 힘들었을 터이니

전부 다 이해할 수 있다.

지루할 틈도 없이 바쁘게 살았던 당신이

유일하게 도망칠 수 있는 작은 구멍은

몇 번을 생각해도 죽음밖에 없었을 거란걸 알 수 있다.

그러니 이제는 조금의 휴식을 취해도 되지 않을까

의미 없는 위로라 생각해도 좋다,

지나가는 글이라 생각해도 좋다.

하지만

한 번쯤 삶을 돌아봐 줬으면 좋겠다.

살아 있는 게 의미 없어질 때

높게 쌓았던 나의 삶이 무너질 것 같을 때

그때가 된다면 한 번쯤

상처를 되살펴 보고 다시 한번 생각 해줬으면,

그랬으면 좋겠다.

우리는 너무 완벽하기만을 바랐던 게 아닐까

- 살아가는 방법

잠시 멈춰 있는 것뿐이잖아요,

지쳐서 조금 더디게 가는 것뿐인데

왜 세상은 그 조금의 휴식을 허락해 주지 않는 것인가요

내가 잘못한 것 일까요

여전히 세상은 가혹해요,

어지러울 만큼 빠르게 돌아가는 세상이 너무나 미워요

한계를 넘어선 나의 고통은

오늘도 나를 빼곤 흘러가는 시간에

멍하니 눈물만 흘려요

우리가 잘못한 것일까요

무너지고 싶지 않은데 자꾸만 포기하게 되네요,

포기는 나쁜 것이 아닐 텐데

괜찮아지지도 않은 나를 애써 끌고

힘겹게 살아가 봐요.

당신에게 배운 한 마디가 자꾸 생각이 나요.

"정상, 끝으로 올라가 본 자만이 무너질 자리도 있다."

라는 말이요

노력만큼 올라 가 봤으니 무너질 나의 자리도

있는 것이겠죠

그 한마디를 안고 다시 올라가 볼게요.

- 깊이

알아줬으면 좋겠다.

너의 아픔에 깊이를 이해한다고

얼마 전 손목을 깊이 그은 널 만나

아무렇지도 않게 술을 먹는다.

별 이야기 안 해도 알 수 있는 침묵

너는 아마 많이 힘들었을 거다.

술에 취해 잡히지도 않는 칼날들을 집어

어딘지도 모를 동맥을 찾아 그었을 테니

완벽히 이해할 수는 없지만

그래도 조금은 너의 마음을 알 것 같다.

네 마음에는 어떤 동굴이 있길래

이렇게 어둡기만 한 걸까,

물어보고 싶다가도 차마 입이 안 떨어진다.

어떤 표정도 짓지 않은 채

무덤덤하게 쓴 소주를 넘기는 널 보니

너의 하루가 이리 힘들었을 생각에

왜인지 모르겠지만 눈물이 계속해서 흐른다.

너의 표정은 여전히 똑같지만

난 알 수 있다.

너의 모든 게 연기인 것을

너의 눈에 눈물이 맺힌 걸 보니

역시 할 수 있는 말은 "괜찮을 거야"라는 그런 진부한 말

너의 하루가 행복했으면 좋겠다,

적어도 나를 만나는 하루는 행복했으면 좋겠다.

온전히 이해할 수는 없겠지만

너에게 도움이 되고 싶다.

사랑한다는 말

그런 뻔한 말

이 한마디에 너의 기분이 조금이라도 나아진다면

백번이라도 더 해줄 수 있다.

내가 사랑하는 것들은 전부 행복했으면

너의 깊은 마음이 나의 도움을 받아

조금이라도 채워질 수 있길.

제3부작

값진 그리움 - 추억을 기억할 수 있는 우리는

낯익은 밤

추억보다 값진 것

생존의 법칙

떨어지는 꽃잎과 피어나는 낙엽

나의 어린 시절

추억이라 생각하는 전부

지우개

영원은 여전히

잊혀진 흔적들

흰 백

오르골

고쳐쓰기

유년

저녁 하늘

마침표

- 낯익은 밤

한 모금 제대로 넘기기도 힘든 독한 술,

창문 틈 사이로 은은하게 비치던 달빛

아직 침대에 남아있던 온기

전부 이상했던 하루였다.

알 수 없는 기분에 그저 하염없이 무언가를 찾고만 있다.

달빛을 따라 걸었던 길목은 홀로 쓸쓸하게

누구의 것인지도 모를 흔적들을 지우고만 있다.

내가 무엇을 잊은 거지

어딘가 낯익은 밤,

너와 함께 시간을 보냈던 밤

언젠간 이 모든 흔적들을 지울 수 있을까

그대 모르게 훔쳤던 눈물이

밤하늘에 은하수 같아요.

오직 그대 말고는 바뀐 것도 없는

이 낯익은 밤이

당신만의 빈자리로 너무나 쓸쓸해요.

난 알아요.

매일이 이렇다면

난 하루를 매일 이렇게 보내야 한다면

시린 가슴을 놓지도 못하고

아직 식지 않은 온기를 부여잡아야 한다는 사실을요

- 추억보다 값진 것

해가 지고 날이 저물면

난 또 생각에 빠져요.

추억이란 무엇일까

아무리 고민하여도 결국 아련한 슬픔이란 답 밖에

나오지 않네요.

세상에 추억보다 값진 건 없다고 해요

하지만 난

나의 추억이 너무나 아파 매몰차게 전부 내다 버리고 싶어요.

좋은 추억이던, 나쁜 추억이던

나의 그 추억들을 전부 가치 없게 만든 당신은,

나를 끝까지 슬프게 만든 당신은

그래요

사실 당신은 누구보다 값진 사람이었어요.

나를 그 누구보다 사랑해 줬던 당신이었는데,

나에게 가장 소중한 추억을 선물해 준 당신이었는데

왜 나는 오늘도 이리 당신을 미워하며

오지도 않는 잠을 새벽까지 애타게 부르는 것일까요

그대를 미워하고 싶지 않았는데

추억에 빠져 아직도 헤어 나오지 못하는 날 보면

당신을 미워하는 내가 보여 절망스러워요.

그대는 나에게 무슨 짓을 했길래 날 이리 만들었나요.

하염없이 생기는 궁금증에 불러도 답하지 않을 그대만,

그대만 오늘도 찾고 있네요.

나에게 그리 값진 추억을 선물해 준 당신,

그리 멋진 선물을 하고 떠나간 당신을

아직 나는 사랑해요.

맞아요. 당신이 추억보다 값진 선물이에요

사실은 추억이 아닌 당신을 그리워하고 있었다고

그대가 없는 나의 하루가 너무나 고통스러워

추억 속에서라도 그대를 찾고 싶었다고

이제는 말 하고 싶어요.

고마워요.

추억보다 값진 것을 알게 해주어서

- 생존의 법칙

우리의 삶이 뭐길래

끊임없이 누군가에게 필요가 있는 사람이 되어야 하나요

나 자신만을 바라봐 주는 당신이 없어

오늘도 나를 거짓되게 꾸며가며

누군가에 눈에 들 때까지

기다리기만 해요

나의 삶이 어떻길래 그대들은 나를

나라는 존재 자체로 봐주지 않고

꾸며낸 나의 존재라는 것을 알면서도

그리 이용해 가나요

당신이 그리워요

나라는 존재 자체를 하염없이 사랑해 주었던

당신 말이에요

그대는 나의 어떤 모습이 좋았길래

나의 꾸며지지 않은 모습까지 그리 사랑하였나요.

너무 추해 꼭꼭 숨기고만 싶었는데

전부 묻어버리고 싶었는데,

왜 나의 추한 모습까지 사랑하여서

나를 너무나 예쁜 꽃으로 만들어 주신 건가요.

너무 미운 당신이지만

덕분에 나는 한 송이의 꽃이 되었어요.

나를 찾는 손님들은 아직

시든 꽃이라고 무시하지만,

무작정 시든 꽃이 아니라고

어영부영 나 자신의 모습을 숨겨봐도

어쩐지 기분이 썩 나쁘지만은 않았죠

그런 당신이 지금 곁에 있다면 지금 나는

더 빛날 수 있었을까요?

나를 봐주지 않는 사람들을 무시하고

영원히 행복할 수 있었을까요?

가끔은 궁금하기도 해요.

당신이 내 곁에 없었다면

나는 어떻게 되었을까요

아마 아직도 나의 존재를 묻어두고,

외면하며 아픈 나날들을 보내고만 있었겠죠

요즘은 당신이 미워도 참으로 감사해요.

나라는 존재를 사랑해 주셔서,

이젠 나도 꾸며가는 나 자신이 아닌

조금은 추하고 볼품없어 보여도

행복한 나만을 보이며 살아보고 싶어요.

- 떨어지는 꽃잎과 피어나는 낙엽

인생은 꽃잎 같아요

모두 누구보다 예쁘게 피어나

아름답게 빛날 시기가 있죠

하지만 전부 그렇듯 결국 져버리게 돼요

아름답던 그 모습을 뒤로 한 채

끊임없이 시들고 또 떨어지기 마련이에요

그래도,

다들 찬란하게 무르익던 낙엽처럼

때론 짓밟히고 떨어져도

이파리 하나하나가 모여 작은 나무를

예쁘게 물들였던 그 시절을

우린 모두 사랑할 수 있어요

- 나의 어린 시절

이제는 기억도 나지 않을 까마득한 어린 시절

그때의 나는 가끔 시간이 빨리 지나가길 간절히 빌었었다.

어른이 되어 멋진 삶을 살 나를 상상하고

좋아하는 일을 하며 누구보다 잘 살 나도 생각하였었죠

지금의 난 아직 어리지만

내가 어릴 적 바라던 나의 멋진 삶은

결코 이루기 쉽지 않다는 것을 알게 되었어요.

하루가 가지 않았으면 좋겠고

내일이 오지 않았으면 좋겠고

시간이 더디게 가길 바라요

이미 늦었지만, 지금이라도 생각해요.

어릴 때의 그 감정을 다시 느끼고 싶다고

따분하게 짝이 없었던 나의 어린 시절은 사실은

어떤 시간보다도 소중하고 행복했던 시간이었다는 걸

조금은 나이를 먹은 지금

이때 알게 되었어요.

지루하게만 흘러가던 시간들이

조용하고 고요했던 나날들이

아무것도 하지 않아도 됐었던

그 시절을 나는

조금 늦은 지금에서야

사랑할 수 있게 됐어요.

- 추억이라 생각하는 전부

“머릿속에서 전부 떠나갔으면 좋겠다.”
죄책감도 미련도 기억도 추억도”

전부

지금 당장 머리를 깨부수고 싶을 만큼의 고통이
매몰차게 밀려온다.
사람들은 다시는 돌아갈 수 없는 그 시절의 추억을
어찌 그리 아름답게 간직하는 것일까
추억이란 것은 어찌 보면 그냥 지나간 시간일 텐데
아무리 행복했어도 결국은 기억일 뿐
다시는 돌아갈 수 없는 것이 현실이다.
차라리 모든 것을 잊고 하루하루를 버틸 수만 있다면
나는 모두가 추억이라 부르는 그 기억들을 전부
지우고만 싶다.
한 페이지 한 페이지
그렇게 전부 넘기다 보면
남는 건 후회와 미련뿐인데,
그 후회와 미련이 나에게는 전부 고통일 뿐인데,

어째서 그 후회와 미련을 쉽사리 놓지 못하고
지금까지 잡고 있는 것일까

오늘 하루도 이리 생각하며
후회와 절망으로 하루를 끝마친다.

- 지우개

그렇게 사랑했던 사람인데,

단 한 번의 이별을 겪고 나니

당신과 함께했던 기억들이 사라져만 가요

아직 놓고 싶지 않은 당신인데

왜 자꾸 멀어져만 가나요

나의 기억을 앗아가지 말아 주세요

하나 둘 씩 지워지는 당신과의 기억들이 난 아직

소중하기만 해요

이상해요,

이제는 당신의 냄새와 눈빛까지

가물가물해요.

아직은 잊을 수 없는데

당신이 불러줬던 노래를 들으면 아직 슬픈데,

나의 상처는 아물지 않았는데

애꿎은 기억들은 왜 더 멀어져만 가나요

당신도 나를 잊고 계신가요?

그게 아니라면

아직 나를 추억 속에서 꺼내고 있으신가요,

이별의 상처로 나를 아직 잊지 못했다면

내가 대신 아플 테니 그대의 기억까지도 전부

넘겨주세요.

내가 대신 아플 테니 전부 나에게 보내주세요.

아직은 안 돼요,

무엇보다 소중했던 그 기억들인데 잊히다니요.

그대도 만약 기억이 사라져만 간다면,

그렇다면

나를 조금만 더 기억해 주세요

나를 잊지 말아 주세요.

매일 걸었던 그 골목들

같이 보았던 영화

마주 보며 사랑한다 말했던 순간들까지도

전부 기억해 주세요

당신을 그리 사랑했던 나를

잊지 말아 주세요.

- 영원은 여전히

행복을 맛보며 미래를 꿈꾸는 오늘이

정말로 영원할까요,

내일을 함께 보내기로 약속한 그대가

시간이 조금 지난 그때에도

내 곁에 있을까요,

영원은 무엇인가요

모두 행복하던 추억들을 마음에 담고

영원을 약속하곤 하는데

정작 왜 영원이란 모든 것은

지켜지지 않기만 하나요

내게도 영원을 약속한 사람이 있었습니다.

비록 지금은 어디서 뭘 하는지도 모르겠지만

한 편의 영화처럼 가끔씩 생각나곤 하지요

어렸던 우리는 영원을 꿈꾸며 세월을 보내었고

결국 지켜지리라 생각했었던 영원은

삶에 잠겨 아득히 멀어지고만 있네요.

당신의 영원은 어떠한가요.

육체보다 강한 의지인가요.

언제나 그런 것처럼 거짓인 건가요.

나의 영원은 꿈꿀 수 있는 행복이었어요.

미래를 꿈꾸고 영원을 지키는 것이

헛된 희망 일지라도

나에게는 내일을 보낼 수 있고

오늘을 버틸 수 있는

그런 의미였어요.

지킬 수 없어도 돼요.

비록 거짓이라도 꿈꿔 주세요

내일을 희망하여 주세요

영원과 같은 당신의 내일은

결국 배신하지 않을 것이니까요

- 잊혀진 흔적들

오랜만에 너와 마주 앉아

밥을 먹는다.

긴장한 나는 먹는 둥 마는 둥

너의 표정을 살펴보기만 한다.

우리가 마주 앉았던 이 식탁을

너는 기억하는가,

조금의 세월이 지나긴 했지만

여전히 같은 자리에 앉아 밥을 먹는 게 자연스러운 우리는

지난날의 사랑을 기억하는 것인가.

잊혀진 기억들은 돌아올 수 없지만,

기억의 흔적들은 그대로다.

가끔 너의 숟가락에 반찬을 놓아주며

"뜨거우니 조심히 먹어"라고 말하는 것처럼,

아무 말을 하지 않아도 흐트러지지 않는

그런 우리처럼.

내 말에 대답하지 않는 널 보며

너의 하루에 무슨 일이 있었는지

알 수 있는

그런 흔적들

- 흰 백 白

당신의 백(白)은 무엇인가요

길에 소복이 쌓인 눈,

맑은 눈동자

어두웠던 거리를 걷다 문득 하늘을 바라보면

무수히 많은 별이 나의 길을 밝혀주고는 했어요.

하나둘 천천히 별을 보다 보면

어김없이 당신이 생각나곤 하였죠.

그 빛들이 점차 희미해 갈 때쯤

검은 허공에는 나 혼자 덩그러니 남게 되었어요.

그대는 지금 누구보다 반짝거리고 계시나요.

그대는 지금 누구의 길을 밝혀주고 계시나요.

우리가 함께 칠했던 하얀 벽을 기억하시나요.

하얄수록 흠이 더 잘 남는 법

그대의 마음에도 이리 흠이 남겨져 있을까요

- 오르골

"맞아, 수도 없이 들었어."

길거리를 걷다 문득 들려오는 익숙한 멜로디에

나의 발걸음이 멈춘다.

몇 초간 멈춰 서 기억들 속에서 멜로디를 찾아본다,

스치고 지나간 유년의 시절,

유난히 길었던 밤을 보내던 유년의 겨울

그때 나의 어머니가 자장가처럼 틀어 주셨던

오르골이었다.

잊혀진 줄로만 알았던 나의 어린 시절

왜인지 그때의 기억을 되살릴수록 마음이 아프기 시작했다.

언제부터 지워졌던 것일까,

오랜만에 잡동사니들 사이에서 그때의 오르골을 찾아 틀어 본다.

알 수 없는 감정들에 휩싸이며

무언가 꽉 막힌 느낌에 가슴을 쳐보고

숨도 크게 들이마셔 봤지만 나아지지 않는다.

처음 느껴보는 감정.

병원도 가보고 애써 무시도 해봤지만

달라지는 건 없었다.

결국 다시 오르골을 꺼내

끌어안고 주저앉아 오랜만에 엉엉 울어 보았다.

그동안 너무 참기만 하지 않았나.

가끔은 이리 슬픔을 꺼내 보는 것도 괜찮지 않나.

- 고쳐 쓰기

오랜만에 듣는 위로,

여전히 너였다.

가장 힘들 때마다 나에게 한 마디씩 툭 던지고 가던 너,

하얗게 덮힌 추억이었지만

역시 아직은 쓸모가 있나 보다.

덮힌 먼지를 걷어내고

모든 모진 말들을 고쳐 쓴다.

너의 한마디가 나에게 무슨 의미가 있겠지만

아직은 위로를 받기엔 충분한 것 같다.

그동안 정말 간절히 바랐던 그 말을

일 년이 지난 지금,

다른 사람이 아닌 너에게 다시 듣고 있다.

낯설긴 하지만 예쁜 말로 가득 채워진 너의 한마디는

역시 나를 울리기엔 충분한가 보다.

깊은 마음속 숨겨져 있던 아픔을 꺼내어

나의 예쁜 말들로 빼곡히 새겨 넣는다.

아직은 아프지만 치료 할 수 있는 그런 아픔

그게 너인 것 같다.

다시 한번 살아갈 용기를 얻는 너의 말

아플수록 따뜻했고

울고 싶을수록 더 이해할 수 있던 너의 한마디

오늘 나는 너의 그 한마디를 기록 해 본다,

- 유년

개나리가 피던 길을

엄마와 손을 잡고 걷는다.

지금은 기억도 안 나지만

아마도 그 시절엔 그게 행복하였을 거다.

어리던 난

나의 시간이 청춘을 향해 달려가는 것이

엄마의 시간은 점점 줄어든다는 것을

알고 있었을까

이제는 목이 메어 부르지 못하는

'엄마'라는 한 마디

나의 꿈을 펼칠 때

사랑하는 나의 엄마는

내 세상이 되어 주었다.

대가 없이 사랑해 주던 단 한 사람이

이제는 나와의 미래를 꿈꿀 날이

얼마 남지 않았다.

언젠간 끊어질 관계를

유년의 난 몰랐을 터이니

아마 나의 청춘을 펼칠 수 있었겠지

나의 세상이었던 엄마는

이미 다 져버린 청춘을 끌어안고

그렇게 살아간다.

- 저녁 하늘

노을이 지는 저녁 하늘을 보는 취미가 있다.

수평선 아래로 사라지는 태양을 보면

저물어 간다는 것이 그렇게 아름다운 것 인지

알 수 있기 때문이었다

노을빛을 내리고

하늘에 별과 달을 띄우는 저녁이

나에게는 내일의 희망을 주는 것 같았다.

너는 알까,

내일의 너는 오늘보다 더 잘할 수 있을거라는 것을

어떤 힘든 일이 있어도

내일의 해는 뜨기에

실수를 고칠 수 있다는 것을

할 수만 있다면

저녁 하늘을 네게 보여 주며

사랑한다는 말을 하고 싶다.

하루를 더 사랑할 수 있는 내일이 있기에

우리는 저물어 가는 것이라고,

피어나는 우리도 언젠간 저물어

인생에 별과 달을 띄울 테니

너무 아파하지는 말자고

말해주고 싶다.

- 마침표

너의 삶이 닳게 된다면

나는 너에게 마침표 하나만 찍고 가라는

그런 말을 하고 싶다.

긴 한숨과 같이 뱉어져 나오는 담배 연기

잘 마시지도 못하는 술,

아픔을 견뎌내던 밤

이런 것들이 너의 삶에는 함께였을 터니

나는 너의 마지막이

마냥 슬프지만은 않았으면 한다.

전부 이겨내고 잘해왔으니,

남은 삶에 미련과 아픔은 없을 거라는

그런 말을 대신한 마침표,

사랑을 서글퍼 하고

아픔을 슬퍼했던 날이 있듯이

아마 너의 삶이 반듯하지만은 않을 거다,

아무렴 어떤가

괜찮게 살아왔지 않나

분명 누군가에게 존경받을 만한 삶 아닌가

그러니 너의 마지막은

마치 문장을 끝내듯

마침표 하나로 완성되었으면 좋겠다…

제4부작

남겨진 것들 - 남겨져야 했던 모두의 슬픔은

- 죽음의 소원

괜찮아진 줄만 알았던 나였는데

또다시 그대에게 죽음에 관하여 묻고 있네요.

신이 내린 선물은 이별과 사랑의 감정이었을까요

나는 오늘도 죽음을 사랑하지 못해

슬퍼하고만 있어요.

모든 세상을 사랑할 수만 있다면 얼마나 좋으련지

죽음이 닥쳤을 때

신이 만약 나에게 마지막으로 무엇을 원하냐 묻는다면

전 죽음을 사랑하고 싶다 대답하고 싶어요.

보내지 못하고,

떠나지 못하여

슬픈 사막만을 하염없이 걷기엔

견디지 못할 것 같아요.

결국 오늘도 작은 소망만을 말하고

여전히 죽음을 사랑하지 못 한 채

쓸쓸히 하루를 견디어 봅니다

- 그런 가벼운 친구였다면

희야, 오늘도 결국 널 한 번 더 들춰보는 나야

오랜만에 예전 기억들을 하나하나 꺼내 보면서

널 회상해 보고 있어

그런데 말이야,

왠지 이제는 그때가 그립다는 생각이 들지 않아

그냥 전부 너무 후회된다.

그 당시 내가 널 만나지 않았더라면

만약 내가 너에게 많은 것들을 알려주지 않았더라면

너는 지금보다 더 행복한 사람이었을 거고

나 역시 후회에 사로잡혀 매 겨울마다

아린 가슴을 부여잡지는 않았겠지

희야, 내가 가장 후회하는 게 있다면

너와의 추억들을 이제는 간직하지 못한다는 거야

우린 정말로 남이 되었고

그저 그런 친구였던 관계보다 못한 사이가

되어 버렸잖아

가벼운 만남이 그 무엇과도 바꿀 수 없는 그런 소중한

추억들을 남겨주었지만

결국 우리에게 남은 건 아무것도 없는 것 같아

우린 대체 무엇을 바랬던 것일까?

우리는 그 무엇을 그리 열심히 쫓아간 것일까

우린 정말 왜….

먼 훗날 널 다시 만난다면,

내가 받은 아픔과 행복

그리고 나의 마음 깊이 숨겨 놨었던 말들까지

전부 돌려주고 싶어,

온전히 전부 너의 것이 아닐까 라는 생각이 들어서 말이야.

너를 알고 너를 내 눈에 담고

내 마음속에 담아 영원히 간직하고 싶었지만

역시 우리는 처음부터 그럴 사이는 아니었나 봐

희야,

너에게 받은 모든 걸 이제는 돌려주도록 할게.

따뜻했던 햇빛과 찬란했던 물결까지

온전히 전부 너의 것이니

다음번에 만난다면 전부 돌려주도록 할게,

그러니 우리에게 다음 생이 있다면

그때는 정말로 만나지 말자

그때가 된다면 서로 아프지도

힘들지도 말고

그냥 가벼운 친구처럼,

아니

그런 사이도 되지 말자

- 남겨진 모두가

너는 지금 뭘 하고 있을까

남겨진 나는 오늘도 너의 하루를 생각해 보곤 해

비록 무엇이 됐건 홀로 쓸쓸히 너의 하루에 내가 있기를

바랄 수밖에 없겠지만

너의 하루를 생각할 수 있는 것만으로도 난 괜찮아

밥은 잘 먹고 다니나,

걱정은 없나, 이런 쓸데없는 걱정도 가끔 들더라

누구보다 잘하고 있을 너일 텐데

이젠 널 챙겨 줄 수 없는 사이가 되니

예전보다 더 걱정되더라고

가끔은 모두가 잠든 고요한 밤에

몰래 혼자 숨죽여 울기도 해

지키지도 못할 약속을 하고 떠나가 버린 네가 너무 미워서

전과는 다른 나의 일상도,

지금은 너의 웃는 얼굴을 볼 수가 없는 것도

아직은 너무 어렵기만 하더라

목 놓아 너를 불러 보고 싶기도 하고

울부짖어 보고 싶기도 하지만

역시 그럴 용기는 없는 것 같아

이별은 언제나 예정돼 있지 않다는 것이 정말 사실이었어

너와의 이별은 정말 꿈도 꾸지 못했었는데,

나의 하루에 네가 없다는 것이

정말 말도 안 됐던 것 같았었는데

그랬던 우리도 결국엔 이별의 시간을 보내고 있네

너와의 이별을 하고

하루를 참 후회만을 가지고 살았었어

이제는 조금 행복해져도 될까,

너의 걱정 따위는 하지 않고

온전히 나의 삶을 살아도 될까

너에게 들리지는 않겠지만 난 참 많이 고민해 봤어.

남겨진 나의 하루를 왜 이미 떠나버린 너를 생각하며

보내고 있는 건지

이제는 괜찮지 않을까

이제 너를 놓고 살아봐도 되지 않을까

어렵겠지만 차차 노력해 볼게.

그러니 있잖아,

이미 떠나버린 너지만

그래도 행복하게만 있어 줘

다시 만날 날에 우리가 웃으면서 볼 수 있게

그렇게 웃고만 있어 주라

너를 만난 건 나의 행운이었어

최고의 선물이었고,

비록 남겨진 나지만

나도 이제는 나의 삶을 한번 살아볼게.

아직은 서툴기도 하겠지만

너를 잊고 나의 길을 가볼게.

남겨진 삶을 알게 해주어서 고마워

- 청춘 익사 사건

청춘 靑 푸를 청 春 봄 춘

푸른 봄

따스하디 겹겹이 쌓인 색들로 무지개를 뽐내던

봄은 어디 가고,

남은 건 파랗디파란 차가운 봄일까

청춘의 기억들은 대개가 미화된다.

정말 우리의 파랗던 봄은 가장 아름다운 빛을 뽐내는 것인가

푸른 봄의 아름다운 빛과

그 뒤에 숨은 차가운 내음은 우리를 아프게 한다.

아름답다고 생각했던 지난날의 하루는

거대한 파도 같았고

파도에 잠겨 나오지 못하는 날들은

우리를 끝까지 괴롭히곤 했다.

청춘이란 것은 사실 그 무엇보다도

아프고 잔인한 것이 아닐까

왜 사람들은 다들 청춘으로 노래를 부르며

그리워하는 것일까.

잊히고 있던 어리디어렸던 '나'는

그 청춘을 감당하지 못하고 뛰어내렸다.

결코 나는 마지막에 행복했다는 말은 하지 않으며

차가웠던 푸른빛들은 따스한 봄날에 내음을

안겨주며 날 품었다.

아, 이런 게 청춘이라는 것일까.

그 한마디를 하고 행복을 찾으며

청춘의 끝으로 빠져들었다.

- 소중하다는 말을 하고서는

잘 지내니
나를 스쳐 지나갔던 모든 사람들아,
모두가 잘 지내지는 않을 거라 생각한단다
물론 나도 잘 지내지만은 않아
아픈 것도
생활도
이렇게 하루하루를 보내는 나도,

되게 억울한 나날들을 보내기만 했어.
너무 아픈데 누구를 탓할 수도 없었고
진짜 많이 힘든데 결국 또 아무것도 할 수가 없었어
그냥 하루하루를 속으로

"대체 내가 무슨 잘못을 했을까"

라는 답 없는 생각만 하염없이 했지
오늘도 참 많은 생각이 들던 날이더라

"나를 소중하게 생각해 주는 사람은 몇일까"

분명 모두를 사랑하였었건
왜 나는 이런 생각에 하루를 시달리며 보내는 것일까
정말 간절하게 내가 소중하다는 말이 듣고 싶은 건가
내가 받는 사랑이 충분하지 않아서일까
돌이켜보면 참 많이도 매달리고 버텼는데
왜 항상 남는 건 이런 쓸데없는 생각들뿐일까
바보같이 사랑하면 전부 돌아올 줄 알았던
내가 미워

항상 생각하지 않고 무턱대고 모두를 너무나
사랑해 버렸던 나도 너무 밉고
모두에게 사랑받을 순 없는 것인가
더 노력해야 하는 걸까
이런 생각들을 하면 할수록
난 점점 더 갉아 먹히는 것 같았고
모든 게 고장 나버린 나침반처럼 제멋대로 돌아가 버려

모두를 사랑했던 그 어렸던 나는

결국 지금 모든 걸 후회하는 중이야.
사람을 좋아한다는 사실을 인정하기 싫었던 나는

사실은 너무나도 사랑했던 사람들을,

정말 이제는 좋아할 수 없게 되어버렸어.

내가 사랑했던 모든 사람들아

이제는 더 이상 생각 하고 싶지 않아 난,

놓아주고 싶어 전부 다

전부 잊고

전부 놓고

그냥 그렇게 살아볼게.

- 아픔이 아문다면

만남이란 건 결국 이별을 불러오네요.

언제나 익숙하지 않던 이별은 나에게 아픔을 주고

그리 떠나가요

마음이 불편하던 하루가

인사도 없이 가던 당신의 뒷모습이

떠날 수 없어 머물던 나의 그림자가

더 이상 가릴 수 없게 되었네요.

이제는 낯설지 않은 그대와 나의 거리처럼

언젠간 나의 아픔도 점점 멀어져 익숙해지는 것인가요

익숙해질 나의 아픔을 놓지 못하는 하루는

오늘도 여전히 상처가 아물기만을 기다리네요.

아픔이라는 상처는 무겁기만 하고

이별은 여전히 나의 곁을 지켜요.

당신을 기억할 수도 없을 먼 미래에는

아픔이 아물겠죠

나의 마음에 당신이 있길 바랐는데

그 하루는 나의 상처와 함께 점점 지워져만 가고 있어요.

한 편의 아름답게 포장된 소설처럼

우리의 이별도 그렇게 아름다울까요.

이별이란 한 마디에

우리의 온갖 이야기가 스며들어 있네요.

만남과 사랑, 그리고 이별과 아픔

나의 상처가 아물 때쯤이면

그때 다시 우리의 이야기를 펼쳐 본다면

내가 원하였던 이별을 마주할 수 있을까요.

아픔이 아문다는 것은 이제는 이별을

마주할 수 있게 된다는 것,

한 장의 이야기로 아름답게 간직할 수 있는

그런 내일

- 유서

그런 뻔한 말들이 싫다,

잘 지내라니 행복해 달라느니

나의 유서엔 무엇을 적을지 고민하던 시기가 있었다.

삶의 마지막에 어떤 마침표를 찍을지,

행복했다기엔 너무나 암흑 같던 나의 삶들은

나에게 죽는 순간을 고민하게 할 요소가 충분했기

때문이다.

내가 죽게 된다면 슬퍼할 사람이 있는 것처럼

이별은 언제나 아픈 법

그런 아프고 슬픈 나의 마지막을

내 유서 한 장에 담기에는

이미 많은 눈물을 흘렸을 주변 사람들이 안타까워졌다.

삶에 있어 죽음이란 당연한 것인데

왜 그 당연한 이별을 모든 사람들은 슬퍼하고

아파하나

나의 존재란 어차피 없어질 것인데

이런 별 볼 것 없는 생각들을 하니

역시 나의 유서에 첫 문장은

“이별을 사랑하시오” 가 맞는 것 같다는 생각을 했다

나의 삶을 온전히 바라봐 줄 이들에게는

아직 이루지 못하고 떠나간 나의 미련이 아닌

“삶을 이뤄 더 이상 마음의 가난이 없다.”

라는 풍요를 이뤘다고 말해주고 싶다.

어차피 삶이 모두들 힘들었을 테니

이별을 아파하지는 말았으면 좋겠다.

나의 죽음으로 상처받았을 이들의 마음을

내가 찍은 죽음의 마침표로 치유해 주고 싶다.

마지막까지 상처를 주고 떠나기엔

역시나 마음이 좋지 않기 때문이겠지.

나의 죽음을 겪은 모든 이들에게,

나를 떠나보낸 모든 이들에게

사랑한다는 말은 너무 뻔하니

너희는 내 인생에 반짝이는 별과 같았다고

그 별들 덕에 마지막 길까지 어둡지 않게 갈 수 있겠다고

그런 사랑이 담긴 말들을 전하고 싶다.

이들의 기억은 나와의 이별 덕에

이별은 아픈 것이 아닌,

서로의 못다 한 말들은 전하고 그리 보내는 것이라는

그런 슬프지 않은 문장을 알게 해주고 싶다.

- 그래서 너는

너는 지금 정말 행복하니

너의 모든것을 포기하고 꿈과 미래를 전부 내던진

지금

전보다 볼품없어진 생각들과 그저 그런 그 머리로

하는 짓들이 정말 너에게 쓸모가 있는 것 같니

난 줏대 있게 사는 네가 참 멋있어 보였어.

한결같은 네가 참 보기 좋았었는데

나의 영향이었을까

조금만 더 일찍 찾아냈으면

하다못해 그냥 그런 생각들을 하지 말았으면,

차라리 처음부터 그런 사람이었으면….

희야, 내가 널 왜 좋은 사람이라 생각했는지

너는 알고 있을까?

누구보다 깊고 좋은 마음씨를 가졌던 너였기에

모든 것을 알고 책임감을 보여줬던 너라서,

참 좋은 사람이었었지 넌….

이제는 과거형이 되어버린 게

그게 참 안타깝다고 생각해

왜 그랬니

책임질 수 있는 행동만 하던 너였는데

오늘도 하염없이 대답 없는 너에게 물어보고는 한단다

희야, 만약 내가 너를 만나지 않았더라면

그렇다면 무언가 바뀌었을까?

가끔은 나의 탓이라고 생각하기도 해

내가 널 만나지 않았더라면

그 푸른 여름날에 널 마주치지 않았더라면

차라리 그랬더라면

너와 난 서로의 자리에 서

더 나은 삶을 보낼 수 있었을까?

한 번 더 불러 볼 수만 있다면

너의 이름을 불러 보고 싶어

희야, 그래서 넌 그 자리가 정말 행복하니?

- 나의 집에는

나의 집엔 물 대신 술이 있고

당신은 기다리는 내가 있고

비록 지금은 멈췄지만, 아직 생생한 추억들도 있어요.

사랑한 마음만큼 아파하는 나와

지나가는 시간,

그것들은 무엇을 위해 저물어만 가는 것일까요

- 너의 모든 것

너무 밉다.

네가 아닌 내가

가끔은 널 좋아했던 내가 너무 미워

사랑 따위가 이렇게 사람을 비참하게 만들 구나,

미움은 하면 할수록 날 힘들게 만드는구나

라는 생각이 계속 드는 하루인 거 같아

희야, 넌 참 행복했겠다.

너의 주변엔 항상 빛이 나는 사람들로 가득해서

소식도 없이 찾아오는 너의 생각에

오늘도 난 잠 못 들고

끝없는 생각의 밑으로 잠길 것 같아

나도 그 아이도 그리고 너의 옛사람들도

모두가 너에게 항상 빛나던 존재였을 텐데

대체 왜 그랬니 넌

답 없는 너에게 여전히 묻고 있는 나야

오늘은 너에게 한 가지 부탁을 해 보려 해

내가 너의 행복을 가져가도 되니?

응, 미안하다는 말은 안 하려고

너의 존재를 모두가 그리워했을 거고

넌 아직도 그 자리에서 헤어 나오지 못하고 있지

언제나 기회를 준 것은 지금 너의 옆 그 존재들이 아닌

지금은 너에게 아무것도 아니게 되어버린

결국 우리인 것 같아

널 되찾는 건 이제 포기하려고

미안하지만 계속 그렇게 살아 주렴

계속 아파하고

그리 힘들어하며

그렇게 끝없는 고통 속에서 살아 주렴

결국 너는 또 한 번 우리를 버린 것이니

이젠 모든 걸 놓아주려고

희야, 행복하지 말아줘

제발

- 웃는 얼굴

오랜만에 당신의 웃는 얼굴을 보았어요

많이 변했다고 생각했는데

여전히 아이같이 활짝 웃는 모습에

나의 마음이 다시 흔들리게 시작해요

그대는 생각보다 행복한 것 같군요

멀리서라도 지켜볼 수 있는 그대의 미소에

나는 오늘도 살아갈 힘들 얻곤 해요

언젠간 다시 만날 그날에

만약 내가 당신처럼 환하게 웃는다면

그때는 우리 서로를 더 바라볼 수 있지 않을까요

당신의 웃는 얼굴에 나의 마음이 흔들리는 것처럼

내가 당신을 닮는다면 당신도 나의 미소를 보고

다시 나에게 마음이 생길까요

내가 당신을 보고 사랑을 느끼고 존경을 느낀 것처럼

당신도 나에게 그런 감정을 느낄 수 있는 날이 언젠가는

오지 않을까요

그렇다면 나는 당신을 위해

그리고 나를 위해

당신을 닮아 볼게요

그때까지 조금만 기다려 주지 않을래요?

당신처럼 환하게 웃는 법을 배워 올 테니

우리 그때는 정말 있는 힘껏 웃어봐요

- 가지로 뻗어버린 마음

아, 오늘도 하염없이 시간이 흘러간다.

죽어간다는 것들은 오늘 하루도 힘에 겹게

살아가고 있다.

한 '남자' 그리고 한 '여자'가 있었다. '존재'라는 것

그것은 무엇일까 수십 아니 어쩌면 수백 년이 지난

그 한 '남자'와 한 '여자'는.

'존재'라는 것이 아닌 과거형, 즉 '있었다'로 바뀐

지금으로 바뀌지 않을까,

그렇다면 이 '남자'와 이 '여자'는 도대체

무엇을 위하여 살아갔던 것일까

너무나도 넓고 공허한 어쩌면 아무것도 없는

이 세계 아니, 이 공간에서 '남자'와 '여자'가 아닌

이젠 '우리'가 되어버린 것들은 끝도 없이

무엇을 찾고 무엇을 헤아리는 것일까

- 만약이라는 말을 할 수 있다면

시간이 멈췄으면 좋겠어요.

지금에서야 느끼는바 에요

시간이 정말로 멈춘다면 난

모든 문제를 바로잡고 넓은 어딘가로

뛰어 들어갈 것이에요

모든 사람들을 붙잡고 그땐 미안했었다고 사과할 것이고

나에게 상처받았던 모든 이들의 마음을

전부 치료해 주고 떠날 것이에요

기적을 꿈꾸어요.

나타날 수 없다는 것을 잘 알지만

그래도 짧게나마 행복하였었던 기억들과 함께

바라던 기적을 이루어 어딘가로

훨훨 날아가고 싶어요.

목적지가 없는 곳으로

날 수 있을 만큼 최대한 많이 날아

아픈 기억이던 슬픈 기억이던

모두 던져버리고

나라는 존재를 잊고 싶어요.

나를 잊어주세요.

나를 찾지 말아 주세요.

그대들이 생각하는 것과 나는

그리 가까운 사람이 아니어요

사랑이 뭐이길래 나에게 모든 감정들을 쏟아붓고

아픔도 잊어버린 채로

슬픈 과거들을 들춰보았다가

그리 안고 가시나요

난 생각보다 괜찮은 사람이 아니에요.

나를 안고 가기엔

당신의 그릇은 너무나도 멋지기에

그걸 아는 저는 모두를 놓아주고 싶어요.

조금 더 바라볼 수 있을 만큼,

멋진 사람으로 돌아올 거예요.

꼭 이요

그땐 내가 더 바라봐 줄 것이에요

사랑해요.

사랑한다는 말밖에 할 수 없어 미안해요.

나는…

나는 사실 모두를 사랑하고 있었어요.

잊지 못하고

기억해 내고

계속해서 슬퍼하고 있었어요

어쩔 수 없이 밀쳐냈던 모두들에게

미안하다는 말을 전해주고 싶어요

사실은 그런 게 아니었다고

난 정말 그대들을 사랑하고,

좋아했었다고

우리 조금만 더 서로를 바라볼 수 있을까요?

괜찮아요…

조금만 더 이러고 있어요

- 엉망진창

차가운 공기 속에 자그마한 온기를 불어넣어 본다.

역시 이뤄질 수 없는 것인가,

이미 숨을 다 한 너는 얼어붙은 것 같다.

이상해,

분명 우리가 함께 한 약속들은 아직 지켜지지 않았는데

너는 일어나지 않아

흔들어 깨워도 보고

몇 번인지도 모를 만큼 불러도 봤는데

늘 웃던 너는 이제 아무런 표정도 짓지 않아.

내가 꿈을 꾸고 있는 것일까

모든 게 전부 엉망진창이야.

바다를 좋아하던 너는 늘 푸른 청춘을 그리고는 했어.

나는 너의 바다가 되어 주겠다고 웃으며 말했지

우리의 약속들은 저 푸르던 바다 밑에 가라앉은 걸까

눈을 뜨면 모든 게 그대로일 것 같은데

여전히 넌 불러봐도 대답이 없네

얼마나 더 아파해야 할까,

얼마나 더 불러봐야 할까.

- 예습

돌아서면 없어질 우리의 마지막은

쫓아가기에 너무 멀어진 너와 나의 거리 같다.

우리의 사랑에 예습이 있었다면

어제보다 쉬운 오늘이 있었을까

아직도 잊지 못 한 너의 뒷모습을 생각하면

다시 또 마음이 아프게 저린다.

내가 너무 서툴렀기에

너의 걸음을 따라갈 수 없어서

하염없이 뒤에서 불러만 봐

비록 뒷모습뿐이지만

기억뿐인 널 잊지 못해 오늘도 그냥 그리 살아가

우리의 사랑을 누군가 가르쳐 주었다면

아주 사소한 무언가라도 바뀌지 않았을까

후회는 역시나 바꿀 수 없는 과거인가 봐

이런 사랑이 다시 올까

웃으며 너를 다시 마주 보는 날이 오긴 할까

그런 날이 온다면 그때는 정말

정말 많이 사랑해 줄 수 있을 것 같아

- 일 년 뒤 오늘 너에게

사랑한다는 말,

내가 너에게 가장 하고 싶은 말

많이 어렸던 너와 나는 서툴렀기에

우리의 말에 책임을 못 진 것은 아닐까

이별을 품는 것조차도 버거웠던 나이였기에,

우리의 이별은 아름답지 못했던 게 아닐까

이따금 널 다시 그려보면

후회스러운 날들이 참 많아.

너는 어린 날 보고 늘 사랑한다고 말해줬었지.

짧고 강렬했던 우리의 사랑은

숨이 죽은 꽃 한 송이처럼 시들어만 갔고

나는 그런 너의 모습을 보고 참 많이도 아파했어.

지금 생각해 본다면,

우리는 사랑을 그저 쉽게 생각했던 것 같아

조금 나이를 먹어보니 이제는 알겠더라.

일 년 뒤 너에게 다시 나의 사랑을 써내려 볼까, 해,

누구보다 사랑했던 너였기에

지나간 후회를 다시 고쳐 써보려 해

후회를 슬퍼할 시간은 이미 지났으니

너에게 남은 후회를 사랑으로 바꿔주고 싶어.

아직 꿈에 나오는 너에게

오늘은 말을 걸어 보려고

“아마 널 사랑해서 후회하는 나일 거라고”

책을

끝마치며

- 나가며

책을 쓰며 많은 어려움도 있었고

또 포기 하고 싶은 순간들도 많았습니다.

하지만,

언젠간 저의 글을 읽게 될 모습 독자님들의

내일이 마냥 차갑지만은 않길 빌며

한 글자 한 글자 마음을 담아

써내려 봅니다.

우리의 사랑은 가끔

아프기도,

슬프기도 하겠지만

이별을 이겨낼 수 있는 우리는 아마,

언젠간 또 다시 사랑을 하며 하루를 보낼 것입니다.

사랑할 수 있는 우리는,

이제는 긴 밤에 홀로 울지 않아도 될 우리는,

먼 미래에 떠나가게 될 모든 것 들을 알면서도

결국 모든 것을 사랑하리라 믿습니다.

상처는 아물겠지만

추억은 기억에 남듯이

아팠던 이별과 사랑이 덧나더라도

마냥 슬퍼하지 않았으면 좋겠습니다.

내일을 빛낼 수 있는 우리는

결국엔 다시 일어서리라

저는 그렇게 믿습니다.

1부작

2부작

3부작

4부작

우리의 내일은

끝없이 펼쳐질 것이고,

사랑은 여전히 아플 것이지만

다시 제자리로 돌아와 일어날 것이다.

겨울과 사랑의 한 끗 차이

지은이 박현지
발 행 2024년 01월 05일
펴낸이 한건희
펴낸곳 주식회사 부크크
출판사등록 2014.07.15.(제2014-16호)
주 소 서울특별시 금천구 가산디지털1로 119 SK트윈타워 A동 305호
전 화 1670-8316
이메일 info@bookk.co.kr

ISBN 979-11-410-6451-8

www.bookk.co.kr